LOUIS GAUTHIER

Louis Gauthier est né à Montréal en 1944. Il a fait des études en philosophie. Son premier roman, *Anna*, paraît en 1967 au Cercle du livre de France. Il publie ensuite, chez le même éditeur, *Les aventures de Sivis Pacem et de Para Bellum, tome I*, en 1970, et en 1973 *Les grands légumes célestes vous parlent.* Il gagne sa vie en exerçant divers métiers, mais il travaille principalement comme rédacteur et concepteur publicitaire. En 1978, paraît chez VLB Éditeur un roman intitulé *Souvenir du San Chiquita*, puis, après une assez longue éclipse, deux récits chez le même éditeur : *Voyage en Irlande avec un parapluie*, en 1984, et *Le pont de Londres*, en 1988.

LE PONT DE LONDRES

De retour d'un bref voyage en Irlande et se préparant à poursuivre sa route vers l'Inde, le narrateur de ce court récit se voit contraint de passer le temps des Fêtes à Londres. Désemparé, il y restera une quinzaine de jours, vivant à la remorque de son ami Jim et observant d'un œil ironique les gens et les événements qui l'entourent. Sur fond de désespoir latent, dans l'atmosphère légèrement trouble que font naître désir et jalousie, choses dites et choses tues, sa paranoïa, alimentée par la drogue et l'alcool, lui fait remettre en question l'amour, l'amitié et le sens de la vie.

LE PONT DE LONDRES

DU MÊME AUTEUR

Anna, récit, Montréal, Cercle du livre de France, 1967 ; Montréal, Bibliothèque québécoise, 1999.

Les aventures de Sivis Pacem et de Para Bellum, tome I, roman, Montréal, Cercle du livre de France, 1970 ; Montréal, Bibliothèque québécoise, 2000.

Les grands légumes célestes vous parlent, précédé de *Le monstre-mari*, récits, Montréal, Cercle du livre de France, 1973.

Souvenir du San Chiquita, roman, Montréal, VLB Éditeur, 1978.

Voyage en Irlande avec un parapluie, récit, Montréal, VLB Éditeur, 1984 ; Montréal, Bibliothèque québécoise, 1999.

LOUIS GAUTHIER

Le pont de Londres

Nouvelle édition

BIBLIOTHÈQUE QUÉBÉCOISE

BQ

BIBLIOTHÈQUE QUÉBÉCOISE est une société d'édition administrée conjointement par les Éditions Fides, les Éditions Hurtubise HMH et Leméac Éditeur. Bibliothèque québécoise remercie le ministère du Patrimoine canadien du soutien qui lui est accordé dans le cadre du Programme d'aide au développement de l'industrie de l'édition. BQ remercie également le Conseil des Arts du Canada et la Société de développement des entreprises culturelles du Québec.

BIBLIOTHÈQUE QUÉBÉCOISE bénéficie du Programme de crédit d'impôt pour l'édition de livres du Gouvernement du Québec, géré par la SODEC.

Conception graphique : Gianni Caccia
Typographie et montage : Dürer *et al.* (MONTRÉAL)

Données de catalogage avant publication (CANADA)
Gauthier, Louis, 1944-
Le pont de Londres
Éd. originale : Montréal ; VLB, 1988.
ISBN 2-89406-182-X

I. TITRE
PS8563.A86P65 2000 C843'.54 C00-941221-2
PS9563.A86P69 2000

PQ3919.2.G38P65 2000

Dépôt légal : 3e trimestre 2000
Bibliothèque nationale du Québec

IMPRIMÉ AU CANADA

À F., G. et H.

1

Je revins d'Irlande à la mi-décembre avec l'intention de ne passer à Londres que deux ou trois jours, le temps de saluer Jim, d'établir un itinéraire et de trouver un moyen de transport bon marché vers l'Orient. Noël approchait, il fallait que je me dépêche.

J'avais quitté Dublin avec le sentiment de faire ce que j'avais à faire ; du moins, j'essayais de m'en convaincre. Là-bas j'avais retrouvé, dans mes brèves amours avec Kate, la confiance en moi qui souvent me faisait défaut et dont j'avais besoin pour poursuivre ma route. En la laissant comme je l'avais fait, si rapidement et irrévocablement, j'avais l'impression de n'avoir été ni égoïste ni cruel, mais d'avoir obéi en quelque sorte à l'idée la plus haute que je pouvais avoir de moi-même et de la vie telle qu'elle devait être vécue. Il ne s'agissait pas, en tout cas, d'une solution de facilité : j'aurais pu, plus facilement, demeurer auprès d'elle et attendre, pour partir, que notre relation se détériore.

Dans le train qui me ramenait à Liverpool, après une traversée sans histoire de la mer du Nord, je me sentais à nouveau débordant d'énergie. Bien installé devant une bière, je regardais par la fenêtre filer à toute allure la campagne anglaise. Ravi, j'imaginais avec plaisir les événements des jours à venir : les retrouvailles avec Jim, les préparatifs de départ, la dernière promenade dans Londres, le Magic Bus pour Athènes, le soleil enfin et le climat plus chaud où j'entamerais la nouvelle année ; dans ma tête, les séquences s'enchaînaient en un montage fluide qui ne laissait place à aucun temps mort.

* * *

Dans la réalité, les choses se passèrent tout à fait autrement. Lorsque je descendis du train, à Victoria Station, l'après-midi s'achevait. Jim, que j'essayai de joindre au téléphone, avait déjà quitté son bureau. Il n'était pas encore chez lui. Pour tuer le temps en attendant de pouvoir l'atteindre, je décidai de souper en ville. Les restaurants me parurent terriblement chers. Mal habillé, cheveux sales, mon sac encombrant et ridicule en bandoulière, j'éprouvai à nouveau le sentiment d'être un jeune provincial maladroit débarqué dans la grande ville. J'avais un instant rêvé de luxe et d'élégance ; je finis par me réfugier dans un de ces Pizzalands anonymes dont je disais toujours beaucoup de mal mais où je me sentais en sécurité. Mon repas terminé, je m'empressai de quitter Londres pour Crystal Palace, la banlieue où Jim habitait.

J'aurais pu me rendre directement chez lui. J'avais dans mes bagages un double de sa clef. J'hésitais pourtant à l'utiliser, parce qu'en réalité, cette clef, je n'aurais pas dû l'avoir. Cette histoire, pourtant simple, avait pris dans mon esprit de telles proportions que je ne parvenais plus à en faire une analyse correcte. Voici ce qui s'était passé.

La veille de mon départ pour l'Irlande, une quinzaine de jours plus tôt, Jim, chez qui j'habitais, m'avait demandé de lui rendre la clef qu'il m'avait prêtée. Puisqu'il travaillait et que je quitterais l'appartement plus tard que lui, nous avions convenu que je n'aurais qu'à la laisser dans la boîte aux lettres. À la dernière minute pourtant, j'avais hésité : et s'il me fallait revenir ? si les choses ne se déroulaient pas comme prévu ? Jim, je le savais, rentrait souvent très tard, parfois pas du tout. Cette clef, pour moi, était précieuse. Je la gardai. Je n'aurais qu'à dire que j'avais oublié, dans l'excitation du départ, de la laisser derrière moi.

Un autre se serait sans doute arrangé de ce petit mensonge ; il y a des drames autrement plus sérieux dans la vie. Mais moi, cet incident était venu me tracasser à plusieurs reprises au cours de mon séjour en Irlande. J'avais même tenté de joindre Jim par téléphone, mais les communications entre les deux pays prenaient un temps fou et au bout de dix ou quinze minutes d'attente dans une cabine téléphonique où je grelottais, je finissais par me dire que cette histoire ne méritait pas l'attention que je lui accordais. Après tout, Jim pouvait fort bien se faire tailler un autre double de sa clef, ce n'était pas bien compliqué.

C'est juste au moment où j'en arrivais à cette conclusion rassurante qu'un nouveau doute surgissait en moi : puisqu'il pouvait si facilement en obtenir une autre, pourquoi Jim m'avait-il demandé expressément de lui rendre la clef que j'avais ? Il aurait pu aussi bien ne rien dire, attendre simplement que je la lui remette, me le rappeler au besoin à la dernière minute. Mais non : il m'en avait parlé la veille de mon départ, à un moment où nous étions tous deux bien à jeun, et il avait arrangé clairement les détails du scénario selon lequel je la lui rendrais. Comment pouvais-je croire maintenant qu'il n'attachait pas d'importance à cette clef ? Ce n'était plus un simple instrument de métal servant à faire fonctionner le mécanisme d'une serrure : c'était un symbole chargé de sens multiples, et je n'en avais pas fini avec lui.

Je n'irais pas jusqu'à dire que tout au long de mon voyage cette clef fut au centre de mes préoccupations; simplement, elle était là, dans mes bagages, et j'avais l'impression qu'un fil infiniment extensible y était attaché, qui me reliait toujours à Londres. Lorsque je tombais sur elle en défaisant mon sac ou lorsque, par association d'idées, son existence me revenait à la mémoire, je ressentais toujours un malaise, que je m'efforçais de chasser le plus rapidement possible.

Maintenant, ce malaise, je l'éprouvais à nouveau. Installé dans un pub, à proximité de chez Jim, je téléphonais et retéléphonais à l'appartement pendant que l'heure avançait. Aller coucher à l'hôtel alors que j'étais à deux pas de chez lui et que j'avais la clef dans mon sac me paraissait ridicule. J'étais même certain que Jim, l'apprenant, se moquerait de ce comportement, tout comme il s'était moqué de moi quand, arrivant chez lui la première fois, j'avais laissé mes bagages à la consigne par crainte de déranger. Pourtant, pénétrer chez lui en son absence, alors que je ne devais pas avoir sa clef en ma possession, me paraissait plus que discourtois : cela équivalait dans mon esprit à une sorte de viol. Je n'étais pas d'ailleurs sans imaginer les connotations sexuelles qui pouvaient se rattacher à un tel objet, et j'en étais troublé.

Qu'en était-il, au fond, de ma relation avec Jim ? Entre nous, la sympathie avait été immédiate. J'étais débarqué chez lui sur la recommandation de Paul, qui l'avait connu à l'occasion d'un tournage à Londres et l'estimait beaucoup. Il m'avait reçu comme un ami. Nous avions passé de longues heures ensemble, riant, parlant de tout et de rien, nous découvrant de nombreuses affinités, chacun appréciant la présence de l'autre. Cette amitié n'avait rien d'équivoque. Pourtant, par sa spontanéité, et mis à part la dimension sexuelle, elle avait toutes les apparences du coup de foudre. Nous prenions souvent plaisir à discuter tard dans la nuit, fumant un joint de son excellent haschisch, buvant du scotch ou du vin rouge, sautant savamment du coq à l'âne. Beaucoup de choses nous rapprochaient et un sentiment chaleureux, sur lequel il est difficile de mettre un nom, s'était créé de façon singulièrement rapide entre nous.

Il est vrai que j'arrivais dans la vie de Jim à un moment où les deux êtres qui y tenaient le plus de place en étaient l'un et l'autre absents. Bob, son seul véritable ami, méditait en Inde depuis quelques semaines déjà et Judith, qui travaillait dans un hôpital, s'était retrouvée depuis peu intégrée à une équipe de nuit, ce qui rendait ses horaires difficiles à partager. Je l'avais néanmoins rencontrée à quelques occasions. C'était une grande rousse à l'allure décidée qui avait le don de me déconcerter. Dès notre première rencontre, elle avait profité d'un moment où nous étions seuls pour m'interroger sur mes habitudes sexuelles et me confier que son phantasme favori consistait à s'imaginer faisant l'amour avec trois hommes. Je ne savais trop si je devais voir là une invitation mais je constatai bientôt qu'il s'agissait pour elle d'un sujet de conversation tout à fait naturel. Jim, de son côté, me laissa entendre que sa relation avec elle tirait à sa fin, si bien qu'un soir où, après un souper fort agréable, nous écoutions tous les trois de la musique au salon, je finis par m'enhardir et me mis à caresser doucement les seins de Judith étendue près de moi sur le tapis, espérant voir Jim se joindre à nos jeux. Mais, au bout d'un moment, elle retint ma main et je compris que quelque chose n'allait pas. Je levai les yeux et aperçus Jim qui nous regardait d'un air blessé. Je m'excusai, ne sachant trop quoi dire. Nous avions fumé et la drogue me rendait inapte à porter quelque jugement que ce soit sur ce qui venait de se passer.

S'il m'en garda rancune, Jim n'en laissa rien paraître au cours des jours qui suivirent et je considérai l'affaire close. C'est seulement lorsque je quittai Londres et qu'il me redemanda la clef de l'appartement que j'eus le sentiment qu'il me retirait sa confiance, comme s'il craignait que notre relation prenne un sens qu'elle n'avait pas à ses yeux, ou comme s'il voulait me signifier la distance qu'il tenait à maintenir entre nous.

Voilà donc ce qui m'avait suivi durant mon séjour en Irlande et qui maintenant refaisait brusquement son apparition. Voilà pourquoi je n'osais pas m'installer chez Jim en son absence et pourquoi je téléphonais et retéléphonais, espérant toujours que son retour à la maison vienne me tirer de cet embarras ; espoir toujours déçu qui me laissait amplement le temps de retourner dans ma tête tous les termes du problème sans parvenir à y trouver une solution. Finalement, quand le pub ferma ses portes, que je me retrouvai sur le trottoir avec le choix de prendre le train pour Londres et d'y trouver un hôtel ou de marcher quelques pas et m'installer chez Jim, je me décidai pour cette dernière solution.

Après l'Irlande, après cette misère noire, cet étouffement, cet écrasement que j'y avais éprouvé, l'appartement me parut merveilleusement confortable. J'y pénétrai d'abord avec précaution. Il y régnait ce silence particulier aux lieux qui n'ont pas été habités depuis longtemps, où l'on ne fait que passer à la sauvette, pour prendre une douche ou changer de vêtements. J'étais parti depuis quinze jours peut-être, pourtant j'aurais juré que certains objets se trouvaient encore là où je les avais laissés, la bouteille de Southern Comfort sur le comptoir de la cuisine (Jim détestait le Southern), un disque de Dylan appuyé contre le pied d'un fauteuil au salon. Dans la chambre d'ami que j'avais occupée, je retrouvai mes souliers près du lit, exactement comme à mon départ. Je ne sais pourquoi, cela me procura une espèce de bonheur, l'impression attendrissante de me retrouver chez moi. Je m'étendis quelques instants sur le lit pour savourer ce moment.

Une seule chose manquait encore pour que ma satisfaction fût complète : une douche chaude, ce luxe que je n'avais pas connu depuis longtemps. C'était aller encore plus loin dans le viol symbolique des lieux et sans doute, par extension, de leur propriétaire, mais puisque le premier pas était franchi, aussi bien aller jusqu'au bout. Dans la salle de bains, je me débarrassai de mes vêtements avec l'impression de m'extraire de croûtes épaisses que je jetais par terre sur le sol dallé et je restai longtemps sous le jet d'eau trop chaude qui transformait peu à peu la pièce en sauna. Un moment je crus entendre des bruits et mon cœur battit plus fort. Je fermai les robinets, écoutai : la maison était silencieuse. Je m'essuyai avec la serviette éponge de Jim puis j'enfilai sa robe de chambre qui traînait sur un crochet. « Tu exagères », me dis-je. Je la remis à sa place. Nu, je revins à ma chambre, appréciant chaque sensation. Hier encore j'étais à Dublin, dans un appartement minuscule, avec des meubles sans âge, un lit au matelas mou, un chauffage précaire, une baignoire sur le palier, servant pour tout l'étage. Ici, c'était l'extase : température exquise de l'appartement, douceur affolante des tapis, contrôle discret de l'éclairage, tout concourait à créer ce sentiment, jusqu'au mouvement exact des portes sur leurs pentures et au déclic précis et mat des pênes glissant dans les serrures...

Je m'enveloppai comme d'une toge d'un édredon léger qui recouvrait le lit et redescendis au salon. Je me versai un scotch, allumai la télévision. Il était près d'une heure. J'avais envie d'un bon joint. Je fouillai dans la cachette de Jim, que je connaissais. Bientôt toutes mes cellules devinrent érectiles et un plaisir vibratoire m'envahit. Mon imagination se débloqua, ma mémoire se mit à jouir et je glissai doucement vers le rêve, comme si mon cerveau était devenu un pénis qu'une douce main aurait frotté et caressé lentement.

Jim ne rentra pas cette nuit-là.

* * *

Le lendemain soir, je soupai avec lui. Il avait l'air content de me revoir ; j'étais bien heureux de le retrouver. Son charme, son élégance me séduisirent à nouveau. Je me sentais bien en sa présence, j'avais l'impression que nous nous connaissions depuis longtemps. Le fait que Paul fût un ami commun expliquait peut-être en partie cette familiarité ; pourtant, nous ne parlions jamais de Paul.

J'avais rejoint Jim à son bureau. Il m'avait invité dans un petit restaurant des environs. Rapidement, comme on se décharge d'une faute, je lui avais avoué que je m'étais installé chez lui. Dans ses yeux, je vis passer l'ombre d'un mécontentement. Cela dura une seconde, et à nouveau son regard brilla de malice.

— Ah bon, dit-il. Quel sans-gêne, tout de même, ces Canadiens français !

— Jim, je suis désolé…

J'étais vraiment malheureux. Jim s'amusait. Cette façon aimable de nous injurier à travers des défauts que nous attribuions par extension à tout le peuple dont nous faisions partie s'était établie spontanément entre nous et nous nous y étions tout de suite trouvés très à l'aise. Énoncées généralement avec la plus grande correction, les pires insultes avaient le don de nous mettre de bonne humeur. Nous en profitions pour exorciser les vieux restes de haine qui subsistaient certainement quelque part entre les âmes de nos deux peuples. Quant à ce que cela pouvait révéler sur la structure profonde de notre relation, je pense que nous préférions l'un et l'autre ne pas y réfléchir.

À mesure que la soirée avançait, le vin rouge me rendait plus volubile. Je racontai mes tribulations d'auto-stoppeur, mes problèmes de parapluie, ma rencontre avec Kate et comment j'avais failli devenir Irlandais. Jim ne comprenait pas pourquoi je l'avais quittée quand tout allait si bien, pourquoi je n'avais pas profité de l'occasion pour rester un peu, un mois ou deux, le temps de connaître vraiment le pays, puisque j'avais déjà des amis, des entrées dans le milieu du théâtre, une jolie fille qui offrait de m'héberger. Finalement, il mit mon retour sur le compte de « la pusillanimité fondamentale du Canadien français ». Nous commencions à avoir assez bu. Nous étions bien et, si j'avais cru un moment que Jim avait été contrarié par mon installation clandestine dans son appartement, je voyais maintenant que tout cela était sans gravité. De toute façon, il y vivait de moins en moins. Il avait gardé cela pour la fin : il avait une nouvelle maîtresse.

— Et Judith ? dis-je.

— Bien sûr, Judith. C'est le problème.

* * *

Jim offrit de m'héberger à nouveau, le temps que je trouve un moyen de transport vers l'Inde. Je m'installai donc chez lui, cette fois avec son assentiment, et me mis aussitôt à la recherche de renseignements. Deux jours, trois tout au plus, et j'aurais quitté Londres.

La déception ne fut pas longue à venir. Il n'y avait pas de Magic Bus avant février. D'autres transports à prix réduit ? On ne savait pas. On me suggérait une autre agence ; j'y allais, c'était fermé. Ou bien l'agence avait déménagé. N'existait plus. Je traversais et retraversais la ville avec des adresses inscrites sur des bouts de papier. Un autobus pour New Delhi ? On me regardait comme une bête curieuse. Je faisais le tour des associations d'étudiants : les départs de vacances pour la période des Fêtes étaient réservés depuis longtemps. Ailleurs on me disait que j'étais trop vieux. On me laissait sentir qu'à mon âge on avait les moyens de prendre l'avion, on réservait son hôtel à l'avance. Ou bien on restait chez soi.

J'avais les moyens de prendre l'avion, c'était facile. On étalait son argent sur le comptoir, la fille en uniforme tapait quelque chose sur le clavier de son terminal et douze heures plus tard on débarquait à Bombay. Ce n'était pas l'idée que je me faisais d'un pèlerinage.

Je voyais Noël approcher comme une menace. Partout le magasinage des Fêtes battait son plein, les gens passaient, les bras chargés de cadeaux, excités, fébriles. J'allais à contre-courant, une fois de plus je me sentais ridicule et misérable. Je me traînais d'un kiosque d'information à une agence de voyages, d'une agence maritime à un consulat, cherchant des renseignements que personne ne semblait pouvoir me donner, perdant peu à peu mon assurance.

Si j'avais quitté Dublin avec le sentiment de faire ce que j'avais à faire, ce sentiment s'évanouit bientôt. Malgré mes efforts méritoires pour conserver à ma vie une trajectoire précise, quelque chose d'extérieur à moi me résistait. J'écrivis à Kate une longue lettre, que je ne postai pas mais qui me fit du bien.

Je voyais Jim de moins en moins souvent. À son bureau, l'approche des vacances provoquait un redoublement d'activité. Ses amours avec Ruth l'occupaient beaucoup. Il continuait à voir Judith. Était-ce bien cela ? J'avais l'impression que quelque chose d'autre dans notre relation avait changé, que ma présence l'ennuyait. Je m'étais mis dans la tête que mon comportement l'avait blessé plus qu'il n'avait voulu le montrer, que je l'avais déçu, peut-être, et qu'il s'arrangeait pour m'éviter. Il ne rentrait ni en soirée ni pour dormir. J'étais de plus en plus souvent seul, tournant en rond dans Londres et dans mon cerveau. Mes recherches de renseignements étaient au point mort : je ne partirais pas avant Noël, j'en avais pris mon parti.

Je me mis à traîner dans l'appartement, laissant peu à peu le découragement m'envahir. Je restais de longues heures devant la télévision. Dans cet état d'esprit, j'avais tendance à abuser du scotch et du haschisch, et si cela réussissait parfois à me mettre de bonne humeur, le ramollissement qui en résultait réveillait aussi mes tendances à la paranoïa. Je me perdais facilement dans des analyses de ma relation avec Jim où je ne parvenais plus à faire la part du réel et celle de l'imaginaire. Et qu'est-ce que la réalité quand on a le temps d'y réfléchir ?

Pourtant, lorsque je le voyais, Jim demeurait toujours le même charmant compagnon. Il passait parfois en coup de vent à l'appartement, ou même à l'occasion m'invitait à prendre un verre en ville ou dans un pub des environs, le Gipsy Queen, que j'affectionnais pour son nom, son décor de mauvais goût et sa faune hétéroclite. Il n'en laissait rien paraître, mais j'avais de plus en plus le sentiment d'abuser de son hospitalité. Maintenant qu'il devenait évident que je ne partirais pas avant Noël, la situation se présentait sous un jour différent. Vint un moment où je sentis que je devais faire quelque chose. Je parlai vaguement de me trouver une chambre à Londres. Jim parut presque soulagé. Il me présenta Ruth, qui cherchait un locataire.

Quelques heures plus tard, sans même avoir vu la maison, j'étais décidé à m'installer chez elle. Cela arrangerait tout le monde. Le loyer était modique, je pourrais vivre comme je l'entendais et partir quand j'en aurais envie. Ruth parviendrait plus facilement à joindre les deux bouts et Jim retrouverait l'occupation exclusive de son appartement. Comment aurais-je pu refuser ?

2

La maison de brique, plutôt banale, bordait une rue tranquille. Jim vint m'y conduire un matin, avant de se rendre à son travail. Il faisait froid, le ciel était couvert, je me sentais parfaitement désespéré.

Ruth m'attendait. C'était une fille d'une beauté exceptionnelle, avec de grands yeux d'un bleu très pâle et un sourire resplendissant. Ce sont d'ailleurs ces yeux et ce sourire qui m'avaient, avant toute chose, convaincu de déménager chez elle.

Elle m'accueillit gentiment, me fit visiter les lieux. Elle habitait le second étage, trois pièces plutôt petites et assez sombres : une cuisine, qui servait aussi de salle à manger, un salon au mobilier sommaire et la chambre que j'occuperais. Les trois pièces débouchaient sur une espèce de petit vestibule d'où une échelle permettait d'accéder à l'atelier de Ruth, une pièce curieuse, agréablement éclairée par trois fenêtres et un puits de lumière, et qui lui servirait de chambre pour la durée de mon séjour.

Partout sur les murs, de petites esquisses charmantes, parfois encadrées, le plus souvent fixées au moyen d'une épingle, rappelaient qu'en plus d'être belle Ruth avait beaucoup de talent. Mais comment se faisait-il qu'elle vive dans un endroit aussi ordinaire ? Après l'appartement de Jim, vaste, confortable — et gratuit ! —, j'avais l'impression de retomber bien bas. Décidément, j'avais imaginé autre chose, et tout en faisant la conversation avec Ruth j'essayais de comprendre comment Jim avait pu raisonner pour m'envoyer ici. Si c'était pour se débarrasser de moi, j'aurais préféré plus de franchise...

Mais peut-être ne voyait-il pas les choses de la même manière. Amoureux de

Ruth, peut-être trouvait-il l'appartement charmant, bohème; et peut-être croyait-il nous accommoder tous les deux, elle et moi, en me fournissant à moi une compagnie agréable pour me distraire de ma déprime et en lui procurant à elle un locataire en qui elle pouvait avoir confiance. Après tout, je ne donnais pas moi non plus l'impression d'être bien riche, et c'était peut-être le genre de chambre que je méritais vraiment. Une chose en tout cas me paraissait certaine: je n'étais pas heureux d'être là. Mais il était trop tard pour reculer.

Ruth se préparait à partir pour son cours de dessin. Elle m'offrit un café. Beaucoup de vaisselle sale encombrait le comptoir de la cuisine. La table n'avait pas été desservie. Elle fit une place pour moi dans ce désordre, rinça une tasse, mit de l'eau à chauffer dans une casserole sur la cuisinière. Je me rappelai tout à coup les premiers mois avec Angèle, rue Laval, la grosse boîte de carton qui nous servait de table, les trois assiettes dépareillées et combien nous étions heureux dans ce dénuement...

Le pot de café instantané et le sucre

étaient sur la table. Ruth versa l'eau dans la tasse, m'offrit du lait, s'excusa :

— Voilà, je dois partir. Tu fais comme chez toi. J'espère que tu te plairas ici !

— J'en suis sûr, dis-je.

J'étais convaincu du contraire. Son sourire, sa beauté achevaient de me rendre malheureux parce que je savais que je n'avais aucune chance de lui plaire, qu'il ne s'agissait que d'une version modifiée du supplice de Tantale, que je ne pourrais que la regarder et souffrir d'être seul.

Quand elle ouvrit la porte, un chat jaune se précipita en miaulant à l'intérieur de la maison et se dirigea sans hésitation vers la cuisine.

— C'est Léonard, dit-elle. Est-ce que tu aimes les chats ?

— Beaucoup, répondis-je, sans préciser que, malheureusement, j'y étais allergique.

* * *

Je pris possession de ma chambre et commençai à déballer mes affaires. Ici, la décoration révélait une influence différente : photos de moines tibétains en robe orange, de temples suspendus au milieu des nuages, gravures indiennes représentant Krishna, le dieu bleu, ou Ganesha, le dieu à tête d'éléphant. Près du lit, sur une petite table recouverte d'un carré de soie mauve, un gros Bouddha souriant servait de brûle-encens. Juste à côté, dans un petit cadre, une photo : un jeune homme souriant, au front haut, aux pommettes saillantes, tenant Ruth par la taille : Bob, l'ami dont Jim m'avait parlé.

Oui, Jim était devenu amoureux de Ruth pendant que son meilleur ami cherchait la vérité quelque part dans les Himalaya ; c'est ce qu'il avait fini par me confier. Mais il avait des excuses : d'abord entre Ruth et Bob les choses n'allaient plus très bien. Ruth était jeune, elle avait envie de vivre, elle n'était pas prête à tout quitter pour aller s'accroupir devant un gourou et passer ses journées à lui masser les pieds en chantant inlassablement un inusable mantra (« *cosmic jingle* », selon l'expression ironique de Jim). Et puis, il avait bien essayé de lui résister, à Ruth. Et elle aussi, de son côté. Seulement, l'attirance était trop forte. Quelque chose les poussait l'un vers l'autre et à cela il n'y avait rien à faire. Tout le monde était déchiré, tiraillé, horriblement malheureux, mais le courant les emportait avec une force irrésistible. Le karma, voilà à quoi il fallait s'en prendre, la terrible destinée télécommandée par les vies antérieures.

Je pensais à tout cela en rangeant mes vêtements par piles sur le plancher. Comme c'était bon, cette vie de désirs, de serments faits sans réfléchir, de mensonges, ces envies, ces plaisirs volés, goûtés dans la fébrilité, ces instants fugitifs et intenses. Bob était un imbécile, avec sa Vérité, et moi aussi qui marchais sur les mêmes traces.

Le chat revint de la cuisine, sauta sur l'appui de la fenêtre et commença une toilette minutieuse. Je me retins de le caresser pour ne pas provoquer inutilement une réaction d'allergie que j'espérais pouvoir éviter. Dehors, la même grisaille froide et humide bouchait le ciel.

Tout à coup, sans avertissement, je fus saisi par un profond sentiment d'angoisse. Angoisse? Cela n'avait pas de nom. Des mouvements sur lesquels je n'avais aucun contrôle se produisaient soudain à l'intérieur de mon cerveau, et ces mouvements me révélaient tous la même chose : l'horreur de ma situation. Je compris violemment l'erreur que j'avais faite en acceptant la proposition de Jim : cet appartement faisait de moi un pauvre type, minable, mal pris, un type qu'on dépannait. Voilà comment les autres me voyaient. Moi, écrivain en voyage, séducteur d'Irlandaises, grand buveur de scotch, moi dont le sort était enviable, étendu sur le tapis devant la télé couleur, la tête pleine de rêves et de fumée, ayant laissé derrière moi femmes, parents, amis et exercices de style, voilà ce que j'étais en réalité : un pauvre minable, pas débrouillard pour deux sous, logé chichement dans un appartement dont personne ne voulait, à vingt kilomètres du centre de Londres, dans une banlieue plate, ne sachant quoi faire ni où aller, incapable surtout d'entrer en contact avec les gens et se réfugiant dans les livres faute de savoir vivre.

J'avais l'impression d'être prisonnier, prisonnier non seulement de cette maison mais de l'univers lui-même, prisonnier de ce personnage médiocre dont personne ne se souciait, que personne n'aimait, qui aurait aussi bien pu disparaître sans que cela change quoi que ce soit. J'étouffais, il fallait que je bouge, que je fasse quelque chose. Je ne pouvais rester là une minute de plus, assister plus longtemps à la destruction de mon propre cerveau. Une envie folle, irrésistible, de sauter dans le prochain avion pour n'importe où s'empara de moi. Je voulais revenir à Montréal auprès de mes amis, retourner à Dublin auprès de Kate, me retrouver tout nu sur la plage de Goa, n'importe quoi plutôt que de rester pris dans cette maison ordinaire, dans ce destin sans intérêt.

Je me levai, je déposai sur le lit la somme dont nous avions convenu pour le loyer, j'entassai pêle-mêle mes choses dans mon sac et sortis en vitesse comme si j'avais le feu à mes trousses. Dehors, il tombait à présent une petite neige fine. Je refermai la porte et marchai rapidement en direction de la gare. D'être parti, d'être à nouveau en route, d'avoir mon sac sur l'épaule, mon argent dans mes poches et la liberté d'aller où je voulais, cela me soulagea un peu. La gare était loin, il y avait un pub en chemin, j'y entrai. En évitant de croiser le regard du barman que je ne me sentais pas en état de soutenir, je commandai d'abord un gin, que j'avalai rapidement, puis une bière. Je sentais toujours l'espèce de frétillement dans mon cerveau, comme si des circuits inconnus s'étaient mis en marche, comme si des liquides mystérieux y circulaient. Je bus encore. J'essayai de mettre un peu d'ordre dans mes idées. Je ne pouvais pas retourner à Montréal, céder au premier mouvement de panique, revenir la mine basse comme un vaincu. J'étais parti pour six mois, il me fallait tenir le coup. Mon orgueil m'interdisait de rentrer. Retourner à Dublin, retrouver Kate, passer Noël avec elle? C'était tentant, mais de toute évidence une erreur. On ne revient pas en arrière, la page était tournée: c'est ce que j'aurais dit à n'importe qui. Alors quoi? Partir sur les routes, deux jours avant Noël, sans itinéraire précis, sans point de chute, seul parmi tous ces gens en fête, à la merci d'une nouvelle crise comme celle que je venais de vivre? Ici, au moins, je serais avec Jim et Ruth et Judith. Je rencontrerais des gens. Déjà j'étais invité pour le réveillon de Noël, pour le souper du jour de l'An. Je commandai une autre bière. Ça n'allait pas si mal. Je partirais après le jour de l'An, voilà tout. Il suffisait de se faire à l'idée. Une semaine, ce n'était pas si long.

Quand je revins à la maison, j'étais presque joyeux. Je déposai mon sac dans un coin de la chambre, repris l'argent sur le lit : rien n'y paraîtrait. Et puisque je restais, aussi bien jouer le jeu, acheter des cadeaux. Je sortis à nouveau, décidé à me mettre dans l'esprit des Fêtes. Dans les rues, les gens s'amusaient de la neige légère qui tombait maintenant à plein ciel.

* * *

24 décembre. La cuisine maintenant étincelait de propreté. J'avais donné un coup de main à Ruth, un peu malheureux d'être repris par le cycle sordide des tâches ménagères et que ma relation avec la Beauté du Lieu se limitât à cet exercice ; mais j'avais trop bu la veille et je trouvais là un moyen efficace de me forcer au calme et à la sobriété.

Le ménage fini, assis devant une tasse de thé, de part et d'autre de la table, Ruth et moi attendions Jim. J'attendais Jim, plus exactement, car ce soir nous allions réveillonner avec Judith, ce que Ruth, bien sûr, ignorait. Resplendissante à son habitude, elle me parlait de sa famille. Elle venait d'un milieu plus qu'aisé, dont elle s'était éloignée volontairement depuis qu'elle avait atteint sa majorité. Son père pourtant l'adorait. C'était un bel homme d'une cinquantaine d'années qui occupait un poste important au gouvernement et qu'on disait dur dans ses relations avec les employés; mais pour Ruth, il aurait fait n'importe quoi. Le départ de sa fille l'avait d'abord choqué, puis il lui avait pardonné, cherchant encore à la couvrir de cadeaux, qu'elle refusait obstinément. Quant à sa mère, née dans une bonne famille, elle n'avait jamais connu autre chose que le luxe et s'imaginait faire des heureux autour d'elle en participant à toutes sortes d'œuvres charitables, sans se rendre compte un instant de l'humiliation que sa beauté, son aisance, ses bonnes manières, le timbre de sa voix même infligeaient aux pauvres gens qu'elle voulait aider. Elle croyait fermement que le devoir des riches était d'assurer aux pauvres le nécessaire. Pas une seconde elle ne remettait en question cette répartition inégale des richesses.

— Je l'ai déjà vue, dit Ruth, donner sa veste à une pauvre femme. C'était tragique, cette femme en haillons, aux yeux éteints, aux cheveux cassés, portant cette veste à la coupe impeccable qui valait une fortune. Mais maman ne s'apercevait de rien. Elle la regardait avec fierté et je suis sûre qu'elle se disait: «Voilà ce qu'il faut faire, voilà comment, si chacun y met un peu du sien, nous pouvons tous ensemble construire un monde meilleur.»

Ruth avait coupé le cordon. Elle payait elle-même ses études, elle n'était pas riche, plutôt endettée. Mais elle avait ce qu'elle voulait, elle volait de ses propres ailes, elle était en contact avec la vie réelle, la vie de tout le monde, la vie de tous les jours. Elle travaillait un peu, faisait des dessins de mode pour un couturier, ami de la famille, qui croyait à son talent. Et puis elle me louait cette chambre, la chambre de Bob. Elle ne croyait pas que Bob reviendrait, de toute façon, elle ne croyait pas qu'il reviendrait habiter avec elle. Trop de choses les séparaient au départ et, surtout, ils n'allaient pas dans la même direction. Ce que Bob cherchait, ce n'était pas la vie, mais bien plutôt la mort. Ce qu'il appelait le bonheur, ce n'était pas la plénitude, pas l'enthousiasme, pas la création, mais l'absence de passion, le Vide. Finalement Bob n'était pas un artiste, ne comprenait rien aux artistes. C'était un homme religieux, moral, un peu puritain au fond, qui avait la nostalgie du presbytérianisme qu'il avait rejeté et qui en cherchait une sorte d'équivalent dans les mystiques orientales.

J'écoutais Ruth attentivement, sans pour autant m'intéresser vraiment à ce qu'elle disait. Est-ce que j'étais déjà trop vieux? Est-ce que j'étais comme Bob un homme du silence, un homme de la mort? Les détails s'ajoutaient les uns aux autres, pleins d'importance pour elle, pour moi sans grande conséquence. C'était une autre vie, sans plus. Des projets, des ambitions, quelques doutes. Parfois Ruth me demandait mon opinion. J'étais d'accord avec elle. J'aurais aussi bien pu dire que je pensais le contraire, pour moi cela revenait au même. Toutes les opinions se valaient, j'en étais là dans ma philosophie, incapable de m'accrocher à une certitude, à un amour, à une passion qui m'aurait permis de m'affirmer, de prendre position, de lutter, de crier, de taper du poing sur la table.

Ruth crut déceler chez moi une certaine tristesse. Je ris. Elle s'en étonna, trouva dans mon rire quelque chose d'amer. Cela me fit rire encore plus, d'un rire sans joie qui pourtant réussissait à me mettre réellement de bonne humeur. Une certaine tristesse... Quel euphémisme !

J'étais désespéré, parfaitement désespéré, désespéré au point d'être mort, inexistant, j'aurais pu me rouler à ses pieds, me traîner sur le sol en hurlant sans parvenir à exprimer ce que je ressentais. Une certaine tristesse... Et comment faire pour ne pas être triste ? Tout était toujours tellement semblable, tellement prévisible, tellement inutile...

Allons, le moment de boire était sans doute venu, le moment de finir ce thé et de passer aux choses sérieuses. Je la regardai encore, qui m'observait avec ses grands yeux. Elle était si belle, on aurait dit un ange, promenant autour d'elle le regard innocent d'un enfant. Mais pourquoi se souciait-elle de moi, de Bob, de ses père et mère, pourquoi se souciait-elle de mots, de sentiments, d'idées qui n'avaient rien à voir avec elle, qui avaient été inventés par toutes sortes d'êtres inférieurs et misérables qui n'étaient pas de la même espèce qu'elle? Pourquoi sentait-elle le besoin d'éprouver tout cela, de s'abaisser à tout cela, alors qu'elle n'avait qu'à dessiner, à peindre, à sourire, à exprimer par tout son être la Gloire de Dieu?

Jim arriva juste à temps. Je ne serais jamais parvenu à expliquer à Ruth ce que je ressentais, ni même à lui faire comprendre que je n'étais ni heureux ni malheureux, pas du tout concerné par ces catégories, simplement désespéré et, malgré tout, le plus optimiste des hommes. Jim l'embrassa, la tint un moment dans ses bras, admira sa robe, puis s'adressant à moi déclara qu'il nous fallait partir à l'instant, que les routes étaient mauvaises, que je devais immédiatement cesser de boire et de me comporter comme un Canadien français sans dignité. Après quoi il m'aida à finir ma bière et me conseilla d'apporter une serviette, une grande serviette, car il y avait un sauna chez Bella, où nous allions. Ruth nous dit adieu, nous souhaita un joyeux Noël. Elle allait réveillonner chez ses parents qu'elle n'avait pas vus depuis quatre mois.

3

J'aimais bien Bella, la sœur de Jim. Nous avions passé toute une journée ensemble à visiter les sites les plus connus de Londres, de Hyde Park à Buckingham Palace, en passant par Big Ben et Trafalgar Square. Comme son frère, elle avait un bon sens de l'humour, mais j'avais l'impression de vivre dans un univers étranger au sien. Bella faisait un bien curieux guide. Au fond, elle n'aimait pas Londres. Cette ville faisait partie de son passé. Depuis, elle avait découvert autre chose : l'Inde, elle aussi. L'Inde où elle avait vécu quatre ans et où elle serait restée jusqu'à la fin de ses jours si son gourou ne l'avait renvoyée assumer son karma dans le monde. C'était la seule, l'unique raison pour laquelle elle se trouvait ici, méditant plusieurs heures par jour, disciplinée, un peu prosélyte, souriante et distante tout à la fois.

Avec Bella, les conversations se tenaient toujours en équilibre sur l'étroite barrière qui sépare le monde visible du monde invisible, et c'est par-dessus cette barrière que nous discutions. Là où je voyais la vie brute et primaire d'hommes matériels habités par des désirs sexuels et des besoins d'argent, elle essayait de me montrer des âmes, de pauvres âmes incarnées dans des corps lourds et maladroits. Là où je voyais l'histoire, la lutte des classes, les jeux de pouvoir, elle me décrivait des anges auréolés de bonté et remplis de compassion, ou des forces machiavéliques à l'œuvre dans le monde, déchirant des peuples entiers, tout cela finalement pour la plus grande gloire de l'Amour suprême, chacun d'entre nous décapant peu à peu son regard des couches de l'ignorance, apprenant à voir tous les paliers de la réalité, revenant incarnation après incarnation, s'extrayant à grand renfort de travail et de volonté du carcan étroit des passions, gravissant l'échelle des chakras jusqu'à l'espèce d'éjaculation lumineuse de l'énergie purement spirituelle.

Je l'écoutais, ébahi, puis elle éclatait de rire et se moquait de moi. Je ne savais plus trop sur quel pied danser. Je me disais que j'avais bien du chemin à faire si je voulais arriver un jour à la rejoindre là où elle était et je me demandais en même temps si faire tout ce chemin m'intéressait, si je n'aimais pas mieux pouvoir entrer dans un pub et me saouler la gueule comme bon me semblait, sans me buter continuellement à tous ces interdits qui marquaient à leur façon la voie vers la libération ultime.

Notre promenade ce jour-là s'était achevée sous une pluie diluvienne qui nous avait surpris au moment où nous traversions Tower Bridge, sans un endroit où nous mettre à l'abri. Nous nous étions retrouvés trempés, ruisselants, essayant de conserver notre sourire. J'étais pour ma part convaincu que le ciel n'approuvait pas notre rencontre.

* * *

Bella habitait chez des amis dans une immense demeure bourgeoise, en pierre, de construction assez récente. « Que c'est laid ! », s'exclama Judith, que nous avions prise en chemin. « Mais comment Bella fait-elle pour vivre ici ? »

Nous fûmes accueillis par une dame d'un certain âge que Jim nous présenta comme l'hôtesse des lieux. Elle nous embrassa en nous appelant par nos prénoms et nous invita à déposer nos manteaux sur un lit où s'entassait déjà toute une pile de vêtements. Oh ! Nous avions apporté des serviettes ? Excellente idée ! Le sauna était si agréable ! Et moi, je n'avais que cette petite serviette-là ? Eh oui, c'était la seule que j'avais dans mes bagages, mon sac n'était pas très grand ; mais je me sentis gêné tout à coup comme si, pour une obscure raison, la taille de ma serviette s'apparentait à celle de mon sexe et qu'on se moquait gentiment de moi.

Notre hôtesse nous invita à passer au salon. C'était une très grande pièce, meublée de plusieurs sofas et de nombreux fauteuils, et dans laquelle se trouvaient rassemblées une quarantaine de personnes. Elle était décorée pour la circonstance de guirlandes roses et blanches avec des bougies dorées aux flammes vacillantes et, dans un angle, un arbre de Noël tout blanc. Une musique de sitar flottait partout, enveloppante et douce. Rassemblés par petits groupes, les invités poursuivaient leurs conversations à voix feutrée.

Bella nous aperçut et vint aussitôt à notre rencontre. Des gens derrière elle nous regardaient avec des sourires remplis d'aménité. J'étais surpris par l'âge de tout ce monde; personne ici n'avait moins de trente ans. Jim, Judith et moi étions les trois plus jeunes. Bella nous invita à nous asseoir et nous offrit du vin. Les verres étaient minuscules, à peine assez grands pour des enfants. J'étais inquiet: j'avais évité de boire en prévision d'une soirée mouvementée; maintenant je regrettais ma prudence.

Jim connaissait quelques personnes, qu'il alla saluer. Judith le suivit. Je ne savais trop si je devais me joindre à eux. Finalement, je m'installai sur une chaise près de

Bella. J'eus à peine le temps d'échanger quelques mots avec elle qu'elle me quitta pour accueillir d'autres invités, m'abandonnant ni tout à fait à l'écart ni tout à fait à l'intérieur d'un petit groupe. J'étais trop loin pour me mêler à la conversation, trop près pour faire semblant de ne pas entendre. J'adoptai une attitude à mi-chemin, une sorte d'écoute distraite qui pouvait se confondre avec une absence polie.

J'observais en même temps avec curiosité tous ces inconnus. La plupart des hommes portaient veston et cravate. Certains, malgré leur âge, étaient assis par terre, sur des coussins, jambes croisées à l'indienne. Plusieurs avaient les cheveux gris ou le crâne dégarni. Les femmes, en général, étaient plus jeunes. Quelques-unes étaient fort jolies, habillées avec soin mais sans élégance. Si tous paraissaient se connaître, il ne semblait pas pour autant y avoir de couples. Tout le monde avait ce même air que j'avais déjà remarqué chez Bella : un regard un peu illuminé, des yeux brillants, un sourire doux et avenant. Si je n'avais su qu'ils pratiquaient la méditation, je les aurais probablement pris pour des opiomanes ou des mangeurs de haschisch.

Une dame remarqua mon verre vide et offrit de m'en apporter un autre. J'acceptai sans hésitation. Elle vint s'asseoir près de moi dans le fauteuil laissé libre par Bella et la conversation s'engagea poliment. Bientôt nous parlions de l'Inde, qu'elle connaissait. Un pays superbe, magnifique. Malgré la pauvreté, la mendicité, la misère, l'horreur quotidienne. Tout cela passait au second plan, il y avait autre chose, une autre dimension. On ne pouvait pas comprendre cela ici, en Occident. Il ne fallait pas juger avec nos mentalités d'Occidentaux. Il fallait y aller, je verrais, je comprendrais là-bas. Cela ne se décrivait pas avec des mots, cela s'insinuait en vous, s'emparait de vous, quelque chose d'insolite et qui en même temps semblait dormir là, au plus profond de vous, depuis toujours. Une sorte d'apaisement, une réconciliation.

Mon verre était vide à nouveau. Mon interlocutrice avait à peine touché au sien. Je ne pouvais empêcher mon regard d'y revenir avec insistance. La lenteur du service m'inquiétait. Combien de temps allais-je encore devoir rester sobre ? Je fumais cigarette sur cigarette, non sans une certaine gêne, même si cela ne paraissait pas interdit. J'avais aussi apporté un joint que je tâtais parfois à travers la poche de ma chemise, pour me rassurer.

Jim n'était plus dans la pièce, Judith non plus. Désespérément, je les cherchais du regard. J'imaginai qu'ils avaient gagné le sauna. Où était-ce ? Où était Bella ? Il allait falloir que je me lève, que je m'excuse, que je traverse la pièce, que je me renseigne. Dites-moi, j'ai apporté ma petite serviette, savez-vous où est le sauna ? Je ne parvenais plus à prêter attention à ce que disait ma voisine. Notre conversation était tombée en panne entre un bûcher funéraire et un moulin à prières, et elle s'entretenait maintenant, m'ayant à moitié tourné le dos, avec un homme chauve et légèrement bedonnant qui était assis à quelque distance de nous. De toute façon, je n'avais plus envie de parler anglais et je commençais à avoir mal aux lèvres à force d'essayer de sourire comme elle, en faisant briller mes yeux.

J'allais me lever lorsqu'une dame aux

cheveux argentés, très grande, très droite et très digne, réclama le silence. Allions-nous tasser les chaises pour danser un set carré ? Jouer à la bouteille, à la queue de l'âne ? Entonner tous ensemble le « Minuit, chrétiens » ? Avec des tournures de phrases charmantes et excessivement polies, la dame aux cheveux argentés demanda si nous aimerions entendre le message de Noël du gourou, une cassette qu'elle avait reçue le jour même d'un ashram au nom impossible, et que nous pourrions écouter tous ensemble en cette occasion si particulière, dans cette maison si accueillante ? Avec joie, semblait-il, d'après les exclamations et les rires qui fusèrent de partout.

J'étais moi-même assez curieux d'entendre enfin la voix d'un vrai gourou. Cela me parut un signe : à mi-chemin de mon voyage, la voix ; au terme, le gourou tout entier. Je regrettais simplement de ne pas avoir eu le temps de remplir mon verre, mais au moins il se passait maintenant quelque chose de différent, de nouveau, d'un peu étrange. Je n'étais pas venu pour rien. De toute façon, après le message, le vrai party allait sans doute commencer.

La dame installa la cassette. Comme il arrive souvent en ce genre d'occasion où l'on aimerait que les choses s'enchaînent avec facilité, elle éprouva quelques difficultés avec l'appareil. Un homme vint l'aider, joua avec les boutons, débrancha et rebrancha quelques fils : curieusement nasillarde, la voix du gourou s'éleva, au grand soulagement de l'assistance. Il parlait lentement, découpant bien ses phrases. Le ton était simple, chaleureux, sans prétention mais empreint de dignité. Il ne s'agissait pas d'une autre conversation frivole et anodine. Le gourou nous salua, nous parla un peu du décor qui l'entourait, de la rivière qu'on entendait en bruit de fond, et de nos vies, banales, mélangées de bonheur et de tristesse, sentiments flous, passagers, fluctuants, qui nous échappaient sans cesse. Il nous parla de l'instant présent, celui que nous vivions au moment même où nous l'écoutions. Il nous demanda si nous pensions qu'il y avait un but dans la vie et ce qui se passerait quand nous l'aurions atteint. Il nous laissa imaginer une possible transfiguration de l'existence. Il parla de la naissance de Jésus, de celle de Bouddha, de ce que cela représentait, symbolisait. Du symbole de la lumière.

J'écoutais avec attention. Pourtant, malgré moi, je commençai bientôt à m'ennuyer. L'accent me rendait le propos plus difficile à suivre. Et puis c'était encore des mots, et non pas l'expérience même de la vie. Pourtant, je m'en voulais de ne pas vibrer moi aussi comme le reste du groupe, qui s'était figé tout à coup dans une espèce d'immobilité contemplative. Plusieurs avaient fermé les yeux, un sourire bienheureux plaqué sur le visage, comme s'ils avaient été hypnotisés, absorbés par la parole du Maître. Leur drogue. Moi, j'avais mon joint dans ma poche et je n'osais pas le sortir, mon verre était vide et je n'osais plus fumer. J'imaginais Jim et Judith dans le sauna, riant, s'amusant, et c'est là que j'aurais voulu être. Le mysticisme devait-il vraiment être aussi *plate* ? Fallait-il vraiment être propre, sobre, végétarien et un peu niais ?

Le gourou expliquait justement que non, que notre voyage sur la terre — car il s'agissait d'un voyage, d'une exploration, nous étions des visiteurs venus d'ailleurs — et cette visite, ce voyage, devait être pour nous l'occasion de découvrir, de connaître la passion, les rires, les larmes, d'explorer toutes les dimensions de la vie. Nous n'avions pas tous pour rôle de devenir des moines. Il fallait se méfier de l'excès de sérieux. Nous n'étions pas tous tenus de mourir en croix comme le Christ. Ici le gourou plaisanta, il prétendit que si Jésus avait été pendu plutôt que crucifié, nous suspendrions aujourd'hui de petits gibets aux portes des églises, aux murs de nos maisons. Un frisson de rire vaguement sacrilège parcourut l'assistance. Le gourou redevint raisonnable, il expliqua que c'étaient là des symboles et que la vie n'était pas un symbole, que la vie n'était pas une représentation, qu'elle était réelle. Mais pour connaître la réalité de la vie, il fallait être soi-même réel. Or nous n'étions pas réels.

Peut-être. Ça ne m'avançait pas beaucoup. Ce que le gourou disait, je l'avais déjà lu, mais comment, comment fallait-il faire ? Par un curieux retournement, dû sans doute à ma perversité, ce discours avait pour effet d'augmenter mon envie de boire. Le gourou parlait depuis trente minutes au moins et cela dépassait les limites de ma capacité d'attention. Je n'écoutais plus, j'attendais avec impatience que la cassette finisse. Est-ce que la cassette était réelle? Est-ce que la voix enregistrée du gourou était réelle? Et le gourou? Et moi, étais-je réel, assis dans ce salon, entouré de gens aux yeux clos qui avaient sans doute quitté leur corps et se promenaient dans un univers astral auquel je n'avais pas accès, à moins que, plus vraisemblablement, ils ne se fussent tout simplement endormis? J'étais depuis longtemps plongé dans des réflexions de ce genre lorsqu'un changement de voix attira mon attention: quelqu'un remerciait le gourou, celui-ci renouvelait ses bons vœux à tous les disciples londoniens, il y eut des rires, puis un bruit de micro. La dame aux cheveux argentés stoppa l'appareil.

Je m'attendais à un tonnerre d'applaudissements, des cris de joie, une explosion d'enthousiasme, tout le brouhaha d'une récréation. Personne ne bougea. Le silence le plus complet accueillit la fin de l'enregistrement; à peine y eut-il quelques bruissements de vêtements, quelques froissements. J'avais tiré une cigarette de mon paquet mais je n'osais plus l'allumer. Mes intestins, bien malgré moi, manifestèrent alors leur présence par un gargouillement qui me parut inhabituellement long et sonore. J'entendis un petit rire près de moi. Je tournai la tête : Bella me souriait. Guitare sur les genoux, elle joua quelques accords très lents, puis s'arrêta. Doucement, pour ne pas rompre le charme, elle expliqua qu'elle avait composé une nouvelle chanson et qu'elle aimerait nous la chanter. Elle avait une jolie voix, la mélodie était simple et plaisante. Les paroles disaient que l'homme que nous venions d'entendre était Dieu, qu'elle l'aimait de tout son être et qu'elle lui appartenait à jamais. Les yeux toujours fermés, l'assistance écoutait avec ce qui semblait être de la ferveur. Moi seul me sentais mal à l'aise. Je n'aurais pourtant jamais songé à mettre en doute l'intelligence ni les convictions de Bella, mais j'avais maintenant l'impression de me retrouver au beau milieu d'une secte dont les membres avaient subi un terrible lavage de cerveau. La voix de Bella reprenait sans cesse que son gourou était Dieu, qu'elle l'aimait de tout son être et qu'elle lui appartenait à jamais. Encore et encore elle répétait ce court verset, de façon identique, les mêmes paroles, les mêmes accords, le même rythme un peu traînant, langoureux, pénétrant.

À nouveau l'assistance semblait s'être endormie, retirée dans un autre espace, un autre temps. Je restais seul, parmi ces corps abandonnés, à remettre en question ma présence en ce lieu. Agressif, je me disais que si, à la limite, le gourou était Dieu, comme le prétendait Bella, ce n'était pas une raison pour organiser des partys aussi ennuyants. Je pensais à Jim, chantant Cohen ou Dylan, cigarette au coin des lèvres, je pensais aux paroles riches, touchantes, bouleversantes, aux mélodies variées, aux rythmes complexes, je ne pouvais m'empêcher d'opposer cette richesse et cette sensualité des formes à la monotonie répétitive de la complainte de Bella, et j'aimais mieux Jim chantant Bob Dylan que Bella endormant son gourou, j'aimais mieux Jim et Judith dans le sauna que Bella méditant, j'aimais mieux le changement que la répétition, j'aimais mieux le mouvement que l'arrêt, j'aimais mieux la souffrance que l'absence de sentiment, j'aimais mieux la vie que l'éternité.

Bella avait fini sa chanson, à nouveau le silence régnait dans le salon, personne n'avait bougé. Il y avait des bougies allumées ici et là dans la pièce : je me mis à en observer une avec attention. Elle était presque complètement fondue. Posée sur un napperon de papier, elle allait y mettre le feu d'une minute à l'autre. Les méditants, plongés dans leurs limbes, n'y prenaient pas garde. Fixant la flamme, je l'encourageais silencieusement. Une décoration de branches de sapin l'entourait et elle prendrait feu aussi, puis l'abat-jour à côté, le rideau, la bibliothèque derrière, toute la maison peut-être. Nous nous retrouverions tous dans la rue à admirer cet immense brasier et à goûter l'humour cosmique. Voilà ce que je souhaitais, fixant la flamme vacillante et me répétant pour m'en convaincre que je pouvais moi aussi utiliser mes pouvoirs psychiques.

Finalement, tout se produisit en même temps. Un homme aux cheveux noirs, bronzé, souriant, plutôt séduisant, vint embrasser Bella, la remerciant, lui disant d'une voix agréable combien il avait aimé sa chanson. Ce fut comme le signal. Tout le monde s'éveilla, clignant des yeux, s'étirant, se regardant d'un air ravi. Au même moment, le feu commença à entamer la bordure du napperon. Je ne dis pas un mot, surveillant du coin de l'œil ce qui se produirait. Personne n'avait encore rien remarqué. Les gens assis par terre dépliaient leurs jambes et massaient leurs mollets ; on entendait des petits gloussements, des rires. Toute l'attention se portait sur Bella qu'on entourait, qu'on embrassait, et qui répondait à cette admiration avec grâce, sans se prendre au sérieux. Puis, tout à coup, quelqu'un poussa un petit cri. La flamme était maintenant bien visible, menaçante, grimpant dans les aiguilles de sapin, comme je l'avais souhaité, et je regardais, incrédule, mon rêve devenir réalité. L'hôtesse, qui était tout près, se précipita. Sans hésiter, elle s'empara d'un grand bol de punch encore à moitié plein et le jeta sur la flamme qui s'éteignit aussitôt. Elle se mit à rire, étonnée elle-même de sa présence d'esprit et de la rapidité de sa réaction. On la félicita de son réflexe. C'était raté. J'allumai une cigarette, déçu, avec l'impression d'avoir perdu la partie. L'optimisme souriant et bête triomphait, sans parler du punch gaspillé. Tout allait pour le mieux dans le meilleur des mondes, encore une fois mon esprit négatif me donnait tort, comme s'il ne suffisait pas d'être désespéré et qu'il fallait en plus s'en sentir coupable.

Les gens se levaient, allaient et venaient dans la maison. Des plateaux de nourriture se mettaient à circuler. Je me levai aussi, mon verre vide à la main, ne sachant trop où aller, me dirigeant à tout hasard vers la cuisine, entre les groupes qui se reformaient. Parfois quelqu'un me souriait au passage, je lui rendais son sourire, plus seul que jamais. Je calculais l'heure qu'il pouvait être à Montréal, j'imaginais les joyeux réveillons qui allaient débuter, je pensais à Angèle sous la neige, avec un autre sans doute.

Tout à coup Judith apparut devant moi, tout excitée.

— Qu'est-ce que tu fais ? Où étais-tu ?

En essayant de rendre la chose comique, je lui racontai comment j'avais été pris au piège et catéchisé malgré moi. « Dommage », dit-elle. Puis, m'entraînant un peu à l'écart, posant sa main sur mon bras, elle m'expliqua en vitesse, comme si elle ne pouvait retenir plus longtemps cette révélation, qu'elle m'avait cherché partout, qu'ils avaient été au sauna et que, si j'avais été avec eux, elle aurait pu enfin réaliser son phantasme : ils étaient trois, il ne manquait que moi et j'avais tout raté à cause de ces imbéciles et de leur gourou. Maintenant c'était trop tard et avant qu'une occasion pareille ne se représente...

« Tu vois, c'est lui », me dit Judith en m'indiquant de la tête un homme qui parlait avec Jim. Étrangement, c'était le même qui tout à l'heure avait mis fin à la méditation communautaire en venant remercier Bella pour sa chanson... Jim le laissa, vint nous rejoindre. Lui et Judith étaient d'excellente humeur, très amoureux, très à l'aise, s'empiffrant au passage dans les différents plateaux, se bourrant de délicieux petits hors-d'œuvre végétariens, se servant sans aucune gêne de grands verres de vin dans des verres à eau. Bella s'approcha à son tour, ravie de les voir aussi heureux. Se tenant par la taille, ils nous quittèrent bientôt pour aller saluer d'autres invités. Bella les regarda s'éloigner puis me demanda comment je trouvais la soirée.

— Trop propre, dis-je. Je ne crois pas à l'amour de ces gens, à leur bonté. J'ai besoin que le bien se mélange au mal.

— Oh! il y avait du mal ici ce soir! dit Bella. C'est simplement que tu ne l'as pas vu.

Elle rit, de son rire charmant. Qu'avait-elle voulu dire, que savait-elle? De quoi voulait-elle parler? Des gens se joignirent à nous, la conversation bifurqua et la soirée continua tout doucement sans que j'aie de réponse à ma question. À minuit, il fallut s'embrasser, se souhaiter joyeux Noël avec enthousiasme. Puis, peu à peu, les invités partirent. Jim et Judith vinrent me chercher alors que j'étais en grande conversation avec une dame d'une cinquantaine d'années : je parlais contre le gourou, contre la religion et toute cette mascarade, ce qui l'amusait beaucoup. J'avais enfin atteint un degré d'ivresse raisonnable mais il était trop tard, la soirée était terminée.

Jim me déposa chez Ruth. La maison

était noire, silencieuse, presque épeurante. J'allumai une allumette, trouvai le commutateur. À la cuisine, je me servis une bière, je fumai enfin le joint que j'avais toujours dans ma poche. Un peu étourdi, un peu assommé, je regagnai ma chambre. Sur la porte, Ruth avait punaisé un grand carton où elle avait écrit à la peinture rouge, en français et avec une belle grosse faute :

JOYEUSE NOËL !

Elle avait ajouté des enjolivures dorées et des feuilles de houx vertes. C'était gentil, vraiment gentil. Joyeuse Noël, Ruth, joyeuse Noël à toi aussi !...

J'avais envie de pleurer. Je me jetai tout habillé sur le lit et je m'endormis.

4

La semaine qui s'écoula ensuite me parut particulièrement longue. Je ne partirais pas avant le 3 janvier; cela représentait huit longues journées où je n'avais rien d'autre à faire que d'attendre.

Chaque matin au réveil, chassant les rêves de la nuit, une tristesse diffuse m'envahissait. C'était le fantôme d'Angèle qui venait me hanter. Il se glissait près de moi sous les couvertures, m'apportant le souvenir de nos matins joyeux. L'image qui me revenait le plus souvent était celle de notre chambre, rue Laval, avec un rayon de soleil tombant sur le matelas posé sur le sol et Angèle toute nue m'expliquant les merveilles de la vie ou chantant sur des airs connus des paroles qu'elle inventait à mesure et qui célébraient nos ébats de la nuit. Son énergie, sa gaieté, son enthousiasme, sa bonté m'apparaissaient en creux, leur manque me faisait terriblement souffrir. Je me levais déjà fatigué, poussant sur ma fatigue comme sur un poids.

Le plus clair de mes énergies, je l'utilisais à ne pas sombrer dans le découragement, à lutter contre le sentiment que les jours que je vivais étaient des jours définitivement perdus. Des jours à jamais ternes, qui s'effaceraient de ma mémoire aussi complètement que s'ils n'avaient jamais été vécus. Des jours, et cela je le savais bien, qui n'étaient pas transfigurés par la lumière de l'amour.

Le matin, souvent, je restais à la maison. Je déjeunais à la cuisine avec Ruth. Nous mangions des toasts avec de la marmelade d'oranges et buvions du café instantané. Puis, elle montait travailler à l'atelier. Alors, j'avais moi aussi envie de faire quelque chose. Je m'installais dans la chambre, sur le lit, bien appuyé sur quelques coussins, et j'essayais d'écrire. J'entrepris successivement un article sur l'Irlande, une chanson en anglais pour Jim, qui parlait d'une Gipsy Queen et d'un Crystal Palace, puis je commençai une nouvelle. C'était le souvenir d'une de mes premières nuits avec Angèle. Déjà j'en étais follement amoureux et, pour la première fois de ma vie peut-être, j'avais l'impression qu'il m'arrivait des choses comme il n'en arrive que dans les romans.

Ce soir-là, elle m'avait entraîné dans un bar de troisième ordre où elle m'avait présenté tous ses amis et où nous avions bu plus que de raison. Je ne sais trop comment, je m'étais coupé au poignet sur un éclat de verre. La blessure était superficielle mais le sang coulait, beau et rouge, sur ma main. Dans un geste théâtral, Angèle avait relevé sa robe et déchiré un morceau de son jupon noir qu'elle avait enroulé autour de mon bras. J'avais été bouleversé par cet incident : le bar étrange, le verre brisé, le sang, la dentelle noire. Je lui avais dit : « Angèle, si je pars maintenant, pendant que nous nous connaissons à peine, si je te quitte pour toujours, si je n'essaie jamais de te revoir, si je ne garde de toi que ce souvenir, je suis sûr que je pourrai écrire le plus beau poème d'amour du monde.» «Alors vas-y, m'avait-elle répondu, si tu crois que c'est cela que tu dois faire.» Je m'étais levé, je l'avais embrassée une dernière fois, j'étais rentré chez moi. Le lendemain, le plus beau poème d'amour n'était pas écrit et je m'étais fiévreusement lancé à sa recherche. Peut-être maintenant, après toutes ces années, avais-je quitté Kate pour la même raison. Au fond, la vie ne m'intéressait pas, seule la littérature m'intéressait, et ce qui dans la vie ressemblait à la littérature. C'était à la fois ma perte et mon salut.

Finalement, ni la nouvelle, ni l'article sur l'Irlande, ni la chanson pour Jim ne furent écrits eux non plus. Je n'avais nullement l'énergie qu'il fallait et je me perdais bientôt dans toutes sortes de rêveries dont la plus facile consistait à imaginer l'œuvre finie, la critique séduite et Angèle m'embrassant avec dans les yeux un éclair de complicité. La seule entreprise d'écriture que je parvins à mener à terme fut un patient relevé de tous les titres de la bibliothèque de Bob. Il n'y en avait qu'une centaine, mais ce qui m'impressionnait, moi qui fréquentais beaucoup les librairies, c'était que je ne connaissais pas le dixième de ces auteurs. Il y avait là pêle-mêle Gurdjieff, Krishnamurti, Swedenborg, Maître Eckhart, Karlfried Durkheim, Rudolf Steiner, Chôgyam Trungpa, Castaneda, Huxley, Watts, Sri Aurobindo, D.T. Suzuki, Ma Ananda Moyi, Swami Ramdas, Alexandra David-Néel, Mme Blavatsky et bien d'autres.

Pourquoi ces livres demeuraient-ils cachés ? Peut-être était-ce là pourtant les seuls livres importants, ceux qui auraient dû se trouver dans toutes les bibliothèques, ceux qui auraient pu aider les gens à être heureux. Peut-être... Tant de livres, et nous ne savions toujours pas d'où venait le langage, ce qu'il était. Nous l'utilisions pour commander des sandwiches, pour décrire des matches de hockey, pour raconter des blagues. Mais il nous échappait toujours. Il était là, comme parallèle à la vie, se développant indépendamment, élaborant des structures de plus en plus audacieuses, englobant des espaces de plus en plus vastes, immense bulle se gonflant d'elle-même, en perpétuelle expansion, sans limites finalement, comme un autre univers.

Je terminai ma liste sans omettre un seul titre, fier de réussir enfin quelque chose, de me rendre au bout d'une de mes entreprises. Je la glissai dans une lettre à Angèle, pour lui donner une idée du monde étrange que je côtoyais, que je me préparais à explorer.

Écrire à Angèle, c'était une chose dont j'étais toujours capable, même s'il m'arrivait rarement de lui poster ce que j'avais écrit. Lorsque je me relisais, tout cela m'apparaissait comme un vain et futile bavardage qui ne réussissait jamais à transmettre l'essentiel de ce que je vivais ; et si jamais je m'approchais de l'essentiel, je me trouvais grandiloquent, emprunté et faux. Il aurait donc fallu que je me dépêche de jeter les lettres à la poste, toutes chaudes, comme je venais de les terminer ; mais je ne m'y résignais pas, tenant à me relire pour savoir si j'avais bien réussi à communiquer ce que je voulais lui dire, à lui faire sentir l'amour que j'avais toujours pour elle, tout en la libérant de toute obligation à mon égard, car je voulais que cet amour aille jusque-là, jusqu'au renoncement à son objet, jusqu'au détachement de l'amour par amour. Je voulais qu'elle sache le désarroi et l'obscurité dans lesquels je me retrouvais loin d'elle, hors de sa lumineuse présence, mais sans qu'elle éprouve aucun regret à me voir ainsi perdu et dépouillé puisque c'était de cette façon qu'il fallait que ma destinée s'accomplisse. Elle seule, je le croyais, pouvait comprendre ces sentiments. Mais lorsque je me relisais, leur prétendue noblesse me paraissait tout à coup douteuse, je ne parvenais pas à croire que je fusse si différent des autres, je me soupçonnais moi-même d'hypocrisie et je me moquais de ma présomption. La lettre déchirée allait rejoindre les autres.

* * *

Mes journées s'écoulaient ainsi. Vers midi, j'avais droit à une première bière, que je buvais discrètement à la cuisine, sans trop attirer l'attention de Ruth. Le reste s'enchaînait généralement de lui-même: je plongeais dans l'alcool comme dans une rédemption et l'euphorie de ce début d'ivresse me donnait envie de me sentir mieux encore. Dans la chambre de Bob, devant la fenêtre à demi ouverte, je fumais un premier joint qui provoquait chez moi mille idées merveilleuses. Les projets les plus extraordinaires tourbillonnaient alors dans mon esprit, jaillissant avec une telle force et une telle fécondité que je n'arrivais pas à en mettre un en marche sans que déjà mon cerveau ne soit sollicité par un autre. Cela durait trois quarts d'heure, une heure. J'avais à peine le temps de commencer un poème, de marcher jusqu'à un cinéma, de vérifier l'adresse d'une exposition, déjà l'enthousiasme m'abandonnait. Je me retrouvais abattu, toute mon énergie sucée par la drogue. Je passais au vin rouge, au gin, au scotch, pour prolonger l'effet, créer un second cycle, atteindre un deuxième sommet. Je mangeais du chocolat pour compenser tout le sucre que mon cerveau avait brûlé; cela me ramenait un peu trop sur terre, il fallait que je fume à nouveau, que je boive encore un peu plus. Je me retrouvais au pub, avec des imbéciles qui n'avaient rien à dire. J'essayais de sortir de ma tête, je savais bien qu'il fallait que je touche à quelqu'un, à quelque chose de réel, pour ne pas sombrer dans le découragement, ne pas rester pris dans les ornières de mon propre conditionnement. Mais ce n'était pas toujours facile. Le plus souvent, je m'isolais, à l'abri dans un coin, écoutant la musique, rêvant. Vers la fin de l'après-midi, je rentrais à l'appartement. Parfois je me masturbais, découragé. Je me couchais, je dormais une heure ou deux.

Le soir, j'attendais qu'il se passe quelque chose. S'il ne se passait rien, je retombais dans le même ennui : drogue, alcool, une euphorie un peu moins joyeuse, un peu plus lourde, puis l'épuisement. Parfois, Jim m'invitait à l'accompagner. Parce que j'étais seul, malheureux de la tournure des événements et incertain de ses sentiments à mon endroit, j'avais l'impression qu'il faisait un effort particulier pour s'occuper de moi, comme on prend en charge un parent éloigné de passage dans sa ville. Pour cette raison, je ne réussissais pas à me sentir spontanément joyeux et j'acceptais toujours ses invitations avec hésitation.

Cela créait entre nous une espèce de décalage qui compliquait notre relation. Je ne savais pas si Jim était conscient de tout cela. Il s'occupait probablement de moi aussi bien qu'il pouvait le faire. J'étais si confus que parfois j'avais l'impression qu'il en faisait trop, et parfois qu'il me laissait tomber. J'analysais beaucoup mes réactions, mes attitudes, mes impressions, mes sentiments et cela ne manquait pas de se refléter dans mon comportement. Malgré tout, je l'accompagnais chaque fois qu'il me le proposait, et c'était toujours dans le même espoir: rencontrer enfin quelqu'un qui me communiquerait à nouveau ce souffle, cette passion qui me faisait défaut, quelqu'un au contact de qui je me sentirais de nouveau dynamisé, énergisé, vivant.

5

Le 1er janvier arriva enfin. Il faisait un temps doux et gris. Nous étions invités à dîner chez la mère de Jim et chargés de prendre son père en chemin. Les parents de Jim ne vivaient plus ensemble depuis de longues années, mais le repas du jour de l'An était demeuré une tradition dans la famille.

Quand Jim stationna la voiture, M. Allister nous attendait devant la maison. Officier de l'armée britannique à la retraite, m'avait dit Jim. Ce titre contenait déjà toute une magie : grand homme droit aux tempes grises, l'œil bleu et clair, la mâchoire volontaire, l'humour séduisant. L'homme que j'avais devant moi ne ressemblait pas à ce portrait. Courbé, maladroit, il s'appuyait sur une canne et portait des lunettes noires à monture épaisse, comme un vieux dictateur en exil. Une femme lui donnait le bras, le soutenant autant qu'elle se tenait à lui : Betsy, sa compagne depuis plus de dix ans. Elle faisait maintenant elle aussi partie de la famille.

Je descendis de l'auto et cédai ma place à M. Allister. Jim l'aida à s'installer. Son père se déplaçait d'autant plus difficilement qu'il s'était récemment brisé la clavicule droite et devait faire attention à ses mouvements. L'histoire racontée par Bella lors de notre promenade à Londres me revint tout à coup à la mémoire. Il avait glissé en venant lui répondre et était demeuré inconscient derrière la porte. Elle paniquait de l'autre côté et ne savait plus quoi faire. Finalement, après de longues minutes, il avait repris ses sens et lui avait ouvert. « Il a beaucoup vieilli, disait Bella. C'est comme si tous les abus qu'il a fait subir à son corps étaient remontés à la surface d'un seul coup.» Il buvait, m'avait-elle confié, il buvait beaucoup trop.

Betsy s'assit à côté de moi, à l'arrière. C'était une femme qui avait peut-être été jolie, sans plus. Elle était plutôt lourde, dénuée de grâce, avec des cheveux teints d'une couleur tout à fait artificielle, un blond jaunâtre qui lui faisait comme une mauvaise perruque. On sentait qu'elle attachait peu d'importance à son apparence. Son maquillage était hâtivement fait, comme pour se débarrasser. Pourtant, de ses yeux émanait quelque chose de poignant, une sorte de tristesse lucide et désespérée, comme si elle disait: «Je sais, j'aurais aimé moi aussi être belle, vivre une vie de star, courir le monde et l'aventure, mais ce n'était pas mon destin. Ce que vous voyez, c'est ce que la vie a fait de moi, pas ce que je voulais faire de ma vie.»

Nous roulions doucement en suivant la Tamise, à travers la campagne figée sous un beau gel transparent, lumineux malgré la grisaille du ciel. Jim parlait à son père comme un fils dévoué s'adressant à son géniteur vieillissant. Il s'intéressait à sa santé, lui faisait quelques remontrances pleines de tendresse, s'informait de parents éloignés qu'il ne fréquentait plus. La disposition des sièges et la présence des appuie-tête ne favorisait pas beaucoup la conversation à quatre. Au début, M. Allister s'était tourné assez péniblement vers moi, cherchant dans sa vieille mémoire quelques mots de français. « Comment êtes-vous, mon vieux ? » Mais la position n'était pas très confortable et les mots lui firent rapidement défaut.

Betsy s'intéressait à moi, tout impressionnée que je sois un écrivain, que j'aie déjà publié des livres. Je n'avais pas beaucoup envie d'en parler, je détournai la conversation sur son travail à elle. Elle était comptable. En réalité, elle n'était même pas comptable, elle ne faisait qu'additionner des chiffres toute la journée, des colonnes de chiffres. Elle le faisait parce qu'elle y était obligée, parce qu'elle devait gagner sa vie, mais elle détestait cela, elle en avait vraiment assez. Elle avait tenté de se suicider, le mois précédent. Elle me le dit comme ça, de but en blanc, comme elle m'aurait dit qu'elle avait eu la grippe. Elle avait avalé des pilules, un tas de pilules, elle ne savait pas combien. Elle ne les avait pas comptées, justement. Et elle avait survécu, après deux jours dans le coma, entre la vie et la mort. « Au fond, dit-elle, il aurait mieux valu que je meure. »

Elle était plus ivre que je ne le croyais. J'avais remarqué qu'elle sentait un peu l'alcool, une agréable odeur de dry gin, mais elle m'avait paru parfaitement maîtresse d'elle-même. Depuis quelques minutes, elle se laissait aller. Peut-être se disait-elle que, puisque j'étais écrivain, je pourrais comprendre, que je ne la jugerais pas. Peut-être aussi qu'elle s'en foutait, tout simplement. Elle avait quarante-huit ans, elle était malheureuse, sa vie était d'une grande platitude, il n'y avait pas d'espoir que ça change et elle avait tenté de se suicider ; si ça ne faisait pas mon affaire, si je trouvais quelque chose à redire, qu'est-ce que ça pouvait bien lui faire...

Elle se mit à regarder par la fenêtre, se referma sur elle-même. Je craignis de l'avoir blessée, de n'avoir pas eu la réaction qu'il fallait. En fait, je n'avais pas eu de réaction. J'aurais peut-être dû lui dire, puisque nous en étions à parler de grippe, que moi aussi, un jour... Mais elle se retourna vers moi, presque joyeuse: « Nous arrivons ! », dit-elle.

* * *

C'est Mme Allister qui vint nous ouvrir. Elle paraissait quinze ans plus jeune que son mari. Grande, souriante, élégante, elle faisait preuve à son égard de la même sollicitude que j'avais pu observer chez Jim. Bella apparut derrière elle, tablier autour de la taille, puis un gros chien s'amena, sautillant sur trois pattes, la quatrième toute raide, agitant la queue avec enthousiasme. Tout le monde le caressa tour à tour. Il s'appelait Winston.

— Ne le laissez pas mettre ses pattes sur vous, dit Mme Allister. Il est terriblement mal élevé.

Elle nous invita à passer au salon. Jim offrit l'apéritif. J'aperçus plusieurs bouteilles d'alcool de toutes sortes dans un petit bahut et je me sentis rassuré. M. Allister et Betsy s'en tinrent au gin tonic, j'optai pour un martini. Le salon était une pièce plutôt petite, trop petite en tout cas pour les meubles sombres et lourds qui l'encombraient. On devinait facilement qu'ils provenaient d'une résidence antérieure et dataient d'une époque où les Allister avaient été plus à l'aise financièrement. Des photos sur les murs racontaient l'histoire de la famille. J'y reconnus Jim à 20 ans, Jim à 15 ans, Jim à 10 ans, bébé Jim, en compagnie de Bella, de papa, de maman. Jim me fit parcourir cet album, y ajoutant ses commentaires. Devant une photo de son père en jeune et fringant officier: «Voici p'pa après sa victoire sur Rommel»; devant une photo de noces de ses parents: «Voici p'pa avec l'impératrice de Libye». Enfoncé dans son fauteuil, M. Allister hochait la tête, sans qu'on puisse savoir s'il s'agissait d'un signe d'approbation ou de mécontentement.

Betsy s'était désintéressée depuis longtemps de cette excursion dans le passé. Son verre à la main, le regard fixe, elle semblait perdue quelque part à l'intérieur d'elle-même. Tout à coup, elle dit: «Moi je n'ai pas de souvenirs. Je vis dans le présent.» Dans sa bouche, cette petite phrase me parut terrible. L'instant présent n'était pas beau à voir. L'instant présent, il aurait mieux valu ne pas y être, mieux valu y échapper, se réfugier dans les souvenirs. Personne ne releva la remarque de Betsy. Bella, qui venait de déposer un plateau de hors-d'œuvre sur la table, se retira à la cuisine en faisant mine de ne pas être concernée. Jim laissa la petite phrase tragique et dérisoire couler comme un nageur qui se noierait dans l'indifférence générale. « Betsy, tu ne devrais pas boire autant avant le repas », dit simplement M. Allister.

Il y eut un moment de silence, dont le chien profita pour venir réclamer un peu d'attention. Puis M. Allister se tourna vers moi : « Alors, Jim me dit que vous êtes écrivain ? » La question supposait que je réponde autre chose que simplement oui. J'expliquai donc que j'étais un jeune écrivain qui n'avait pas encore accompli grand-chose. Jim m'interrompit pour préciser que j'avais déjà publié trois livres. M. Allister demanda de quel genre de livres il s'agissait. J'étais bien embêté. Ce n'étaient pas des poèmes en tout cas, pas des romans non plus, à vrai dire. J'essayai d'être drôle : c'étaient des livres, des livres avec des mots, assez de mots pour faire assez de pages pour mettre une couverture autour, et mon nom dessus. Je sentis que je n'étais pas très convaincant. J'essayai de me rattraper en disant que c'étaient des livres plutôt humoristiques. Voilà quelque chose à quoi on pouvait se raccrocher. M. Allister me parla aussitôt de Jonathan Swift, de Mark Twain, d'Oscar Wilde. Je ne les avais pas lus. En fait mes livres n'étaient pas vraiment des livres humoristiques, peut-être aurions-nous pu parler plus justement de livres fantaisistes. Fantaisistes ? Bon. Personne n'avait la moindre idée de ce qu'un livre fantaisiste pouvait être. M. Allister parla des *Mille et Une Nuits*. Il nous en résuma l'argument : une femme doit inventer chaque nuit une nouvelle histoire pour échapper à la mort. « Moi je n'ai pas beaucoup d'imagination, dit Betsy. Je serais morte la deuxième nuit, ou la troisième. »

M. Allister connaissait les Arabes, il avait vécu avec eux. Il nous expliqua l'histoire du livre, de sa composition. Il nous apprit que le vrai nom d'Aladin était Ala-al-Din. Puis il nous parla du Vieux de la Montagne et des haschichins. Mme Allister vint nous rejoindre au salon et nous invita à passer à la salle à manger. Avec beaucoup de difficulté, prenant appui sur Jim et sur moi, M. Allister réussit à s'extraire de son fauteuil.

* * *

Malgré tout ce qu'on a pu dire de la cuisine anglaise, le repas me parut excellent : agneau à la menthe, pommes de terre vapeur, salsifis frits, et du vin en abondance. Au dessert, M. Allister leva son verre à ma santé : « Heureuse année, mon vieux. » Ces quelques mots de français retrouvés en mon honneur remuèrent ses souvenirs. La Libye de 42. Rommel, le Renard du désert. Après la guerre, M. Allister avait fait planter plus de 10 000 arbres dans le désert de Libye. Grâce à des articles qu'il avait fait paraître dans les journaux de Londres, l'esclavage qui sévissait encore en 1950 avait pris fin. De cela, il était fier. De ces deux choses-là. Et non pas d'avoir tué des dizaines d'hommes, de ses propres mains. D'en avoir fait tuer des centaines, peut-être. C'était la guerre. Il n'y avait pas de quoi être fier. Mais 10 000 arbres plantés en Libye, oui, pour vaincre le désert… Voilà ce qu'il écrirait s'il était écrivain comme moi, M. Allister. Voilà ce que je devrais écrire, ce qu'il fallait dire. Dix mille arbres en Libye et des dizaines de morts, et pas fier…

Écrire, écrire, écrire… Je me demandais si j'y parviendrais un jour. Plusieurs fois, chez Ruth, j'avais cru le moment venu, le fruit mûr. J'avais sorti crayons et papier, je m'étais installé confortablement. Je rêvais à tous ces écrivains qui entraient dans leurs livres comme dans un vaste théâtre et qui inventaient des personnages si vivants, si extraordinaires, si attirants. Et moi, par je ne sais quel masochisme, j'étais toujours aux prises avec la réalité la plus *plate,* que je ne voulais pas transfigurer, que je m'ingéniais à réduire à ses dimensions les plus banales, à ses détails triviaux, à l'ennui. Je finissais toujours par crayonner de vagues dessins sur le papier.

« Moi, dit Betsy, si j'écrivais, j'écrirais des… J'écrirais des… des romans d'amour. C'est ce qui se vend le mieux, les romans d'amour. »

Elle me demanda si je vendais beaucoup de livres. Non ? Eh bien, je devrais écrire des romans d'amour. C'était payant, les romans d'amour.

Elle avait vraiment beaucoup bu. Elle reposa sa question : est-ce que je vendais beaucoup de livres ? « Deux mille exemplaires, trois mille si tout va bien », dis-je. Ça m'ennuyait, cette façon de parler de la littérature, mais Betsy était comptable, il fallait bien que je lui donne quelque chose à compter.

— Ridicule ! s'exclama M. Allister en français, toujours en souvenir de la Libye. Il faut vendre 10 000, 100 000 exemplaires, sinon ce n'est pas la peine.

Mme Allister les regarda presque tendrement tous les deux, ses deux pauvres ivrognes, ou bien c'était de la pitié. Pour elle, la question était réglée depuis longtemps : on devrait pouvoir changer de mari chaque année, comme le faisaient avec leur femme les Touaregs, les beaux Hommes Bleus du désert.

— Moi je suis fatiguée de compter, dit Betsy, je compte toute la journée. Toute la journée, des colonnes de chiffres, il faut que je les additionne. Ah ! s'il fallait que j'additionne tous les verres que j'ai bus, et toutes les bouteilles que j'ai bues, s'il fallait que je les additionne...

Elle ne termina pas sa phrase, on ne sut pas ce qui serait arrivé si elle avait additionné tout cela.

— Une nuit, j'étais en sentinelle, commença tout à coup M. Allister.

Jim eut un geste pour le retenir, puis laissa faire. Je devinai que cette histoire, il l'avait entendue cent fois.

— Nous étions là depuis sept mois, stationnés en plein désert, avec des hommes tués toutes les nuits. Il faisait noir, le ciel était plein d'étoiles. J'avais froid. Dans le désert, les nuits sont froides. Tout à coup j'entends un bruit, un frôlement d'étoffe derrière moi. Un Arabe, avec une dague. Je m'esquive d'un mouvement d'épaule. Il me rate de peu. Je sors mon pistolet et je tire, à bout portant, sans réfléchir. Parce que j'avais eu peur, comprenez-vous? J'ai eu peur et je l'ai détesté de m'avoir fait peur et j'ai tiré parce que je le détestais, je le détestais terriblement, de tous les pores de ma peau.

Il regarda ses deux mains, dans un geste théâtral.

— C'était un de mes propres hommes, un Arabe.

— Moi, je ne l'aurais pas tué, dit Betsy. C'est tout ce qu'elle dit, elle dit ça comme ça, puis elle se remit à boire.

— Voilà ce que vous devriez écrire, continua M. Allister. Je l'ai tué parce qu'il m'avait fait peur, c'est pour ça que je l'ai tué.

J'étais un peu mal à l'aise, je ne savais vraiment pas quoi dire. C'est Betsy qui me tira d'embarras. Tout à coup très lucide, elle regretta l'état dans lequel elle s'était mise et nous demanda de l'excuser : elle était malheureuse, sa vie était difficile, mais elle savait bien qu'elle n'avait pas à nous ennuyer avec ça. Mme Allister l'assura que tout irait bien mieux si elle ne buvait pas tant, que cela ne l'aidait pas à se remettre sur pied. Bella abonda en ce sens.

— Je m'en fous, dit Betsy, je ne crois plus à rien.

Bella était scandalisée plus qu'elle ne voulait le laisser paraître.

— Allons, Betsy, dit Mme Allister, il faut vous ressaisir. Vous avez eu un moment de découragement, cela arrive à tout le monde.

— Vous, vous avez une jolie maison, vous avez des enfants, vous êtes en bonne santé, dit Betsy. Vous ne savez pas ce que c'est que d'être malade. Et Douglas est malade aussi et qui me dit combien de temps il va vivre encore et s'il va vouloir me garder et après je me retrouverai toute seule et je n'aurai rien.

— Voyons, dit Bella, c'est le premier jour de la nouvelle année, ne soyons pas si tristes. Vous voyez tout en noir, Betsy, essayez d'être plus positive.

— Positive, dit Betsy, je voudrais bien vous voir à ma place.

Puis elle marmonna quelques mots plus ou moins inaudibles et retomba dans sa prostration. Bella haussa les épaules et fit circuler le café.

— Votre réveillon de Noël a été agréable ? me demanda Mme Allister pour relancer la conversation.

Je répondis que oui, sans entrer dans les détails. Bella précisa que j'avais trouvé qu'il manquait un peu de méchanceté chez ses amis.

— À propos, dit Jim, qui est donc ce type aux cheveux noirs qui est venu t'embrasser lorsque tu as fini ta chanson ? Je ne l'avais jamais vu avant...

— Je ne sais pas, dit Bella, je ne le connais pas. Je croyais qu'il était venu avec Mme Cullen, mais je n'en suis pas sûre. Pourquoi me demandes-tu cela ?

— Oh, pour rien, dit Jim.

* * *

Après dîner, Betsy se retira dans une chambre pour se reposer. M. Allister s'installa au salon et s'endormit rapidement dans son fauteuil. Bella et sa mère s'affairaient à desservir. J'offris de les aider, mais elles refusèrent.

— Allons promener le chien, proposa Jim.

Il y avait un grand parc situé à peu de distance de la maison. De petites allées en lacets sillonnaient le terrain doucement vallonné. Le givre donnait aux arbres une beauté presque irréelle. Malgré ses trois pattes, le chien sautillait rapidement. Jim le débarrassa de son collier et le laissa prendre les devants. Du ciel couvert, uniformément gris, tombait une pluie si fine qu'on ne remarquait pas tout d'abord sa présence.

Comme toujours, j'avais pris la précaution d'apporter un joint. Je l'allumai. Tout en marchant tranquillement, nous fumions à tour de rôle. Le chien courait loin devant nous, disparaissant parfois complètement de notre vue.

Jim me parla de son père. Il était triste de le voir ainsi diminué. Il n'y avait pas si longtemps encore, c'était un homme vigoureux, qui aimait rire et raconter des histoires. Il s'excusa de m'avoir entraîné dans cette réunion de famille. Je protestai : j'aurais été bien malheureux de rester seul un premier de l'An, et j'appréciais vivement d'être reçu chez lui, d'être traité moi aussi comme un membre de la famille. Je devenais sentimental. J'allais partir dans un jour ou deux. Pour un peu, j'aurais mis mon bras autour de son épaule et je lui aurais dit moi aussi : « Allons, mon vieux... »

— Je me demande qui était ce type, dit Jim.

— Quel type ?

— Le type du sauna. Tu as vu : Bella ne le connaissait pas. Je suis sûr que personne ne le connaissait. Il a dû apercevoir les lumières et entrer. Avec une gueule comme la sienne, personne ne lui a posé de question.

— C'était peut-être un extraterrestre...

— Ou l'Ange du Mal, dit Jim. Je te jure, tout cela s'est passé d'une façon tellement étrange... et tellement naturelle... C'était vraiment étonnant, tu sais, dans cette maison bourgeoise, remplie de gens bien, plongés dans leur méditation, et nous avec cet homme que nous ne connaissions pas du tout.

— Mais tu as aimé ça?

— Oh oui! dit-il. Puis il rit de son propre enthousiasme. Mais je n'aurais pas envie de recommencer. Pas tout de suite en tout cas.

— Et Judith?

— Oh Judith, elle a adoré ça!

— Et tu n'étais pas jaloux?

— Oui et non, je ne sais pas. J'éprouvais des sentiments très ambivalents, très ambigus. Je pense que nous sommes tombés sur la bonne personne. Il était très doux. Il ne forçait rien, il ne demandait rien. Ce que nous faisions était très agréable. Et puis, tu sais, ma relation avec Judith... (Il fit un signe de la main qui disait que ça n'allait pas très fort.) De l'avoir vue avec un autre homme se pâmer et jouir comme elle jouit avec moi, ses petits cris, son excitation, tout, ça m'a comme débarrassé d'une illusion, de l'illusion que je la possédais, tu comprends? De l'illusion que j'étais unique, que j'étais... indispensable. Bien sûr, c'est une chose que je savais déjà, mais disons que je suis passé de la théorie à la pratique.

Machinalement, nous avions ralenti le pas. Le chien gambadait toujours loin devant nous. La pluie petit à petit commençait à pénétrer nos vêtements. Il allait bientôt falloir penser à rentrer.

— En tout cas, j'aurais bien aimé être avec vous plutôt qu'avec les *fans* du gourou.

— Désolé, dit Jim. Je t'emmène toujours dans des soirées ennuyantes. Mais tu sais, si tu avais été avec nous, ça n'aurait probablement pas marché.

Je sentis tout à coup comme une déchirure. Je me sentis exclu, rejeté. Avec moi, ça ne marchait pas. J'aurais dû m'en douter. Toutes sortes de sentiments se bousculaient en moi, toutes sortes de souvenirs plus ou moins oubliés dont je n'avais gardé que la blessure. C'était comme cette histoire de clef, finalement, je ne m'étais par trompé. Jim m'en avait voulu. Tout ce temps, il avait gardé au fond de lui cette distance avec moi. Il jouait le jeu de l'amitié, mais en même temps il restait en retrait. C'était vrai qu'il m'avait renvoyé de chez lui, vrai qu'il m'évitait. Toutes les excuses que j'avais trouvées, toutes les explications que j'avais fabriquées pour interpréter son comportement n'étaient que de pieux mensonges pour ne pas voir la réalité.

Mon trouble dut paraître sur mon visage. Jim se rapprocha de moi.

— Ne fais pas cette tête-là, dit-il. Je voulais simplement dire que... Oh, allons, oublie ça. J'aurais dû y penser : vous autres, Canadiens français, la drogue vous rend totalement paranoïaques. Bon ! Où est passé ce chien maintenant ?

Nous étions au bord d'une petite rivière que le chien avait traversée mais qui était trop profonde pour que nous puissions en en faire autant. Tout heureux de son exploit, il nous regardait de l'autre berge, refusant de répondre à nos appels. Nous marchâmes longtemps le long de la rivière avant de trouver un petit pont qui nous permît de passer sur l'autre rive.

BQ BIBLIOTHÈQUE QUÉBÉCOISE

Jean-Pierre April
Chocs baroques

Hubert Aquin
L'antiphonaire
Journal 1948-1971
Mélanges littéraires I. Profession : écrivain
Mélanges littéraires II. Comprendre dangereusement
Neige noire
Point de fuite
Prochain épisode
Récits et nouvelles. Tout est miroir
Trou de mémoire

Bernard Assiniwi
Faites votre vin vous-même

Philippe Aubert de Gaspé
Les anciens Canadiens

Philippe Aubert de Gaspé fils
L'influence d'un livre

Noël Audet
Quand la voile faseille

François Barcelo
La tribu
Ville-Dieu

Honoré Beaugrand
La chasse-galerie

Arsène Bessette
Le débutant

Marie-Claire Blais
L'exilé *suivi de* Les voyageurs sacrés

Jean de Brébeuf
Écrits en Huronie

Jacques Brossard
Le métamorfaux

Nicole Brossard
À tout regard

Gaëtan Brulotte
Le surveillant

Arthur Buies
Anthologie

André Carpentier
L'aigle volera à travers le soleil
Rue Saint-Denis

Denys Chabot
L'Eldorado dans les glaces

Robert Charbonneau
La France et nous. Journal d'une querelle

Adrienne Choquette
Laure Clouet

Robert Choquette
Le sorcier d'Anticosti

Matt Cohen
Café Le Dog

Laure Conan
Angéline de Montbrun

Maurice Cusson
Délinquants pourquoi ?

Jeanne-Mance Delisle
Nouvelles d'Abitibi

Alfred DesRochers
À l'ombre de l'Orford *suivi de*
L'offrande aux vierges folles

Léo-Paul Desrosiers
Les engagés du Grand Portage

Pierre DesRuisseaux
Dictionnaire des expressions
québécoises
Le petit proverbier

Henriette Dessaulles
Journal. Premier cahier
1874-1876

Georges Dor
Poèmes et chansons d'amour
et d'autre chose

Fernand Dumont
Le lieu de l'homme

Robert Élie
La fin des songes

Faucher de Saint-Maurice
À la brunante

Trevor Ferguson
Train d'enfer

Jacques Ferron
La charrette
Contes
Escarmouches

Madeleine Ferron
Le chemin des dames
Cœur de sucre

Timothy Findley
Guerres

Jacques Folch-Ribas
La chair de pierre
Une aurore boréale

Jules Fournier
Mon encrier

Guy Frégault
La civilisation de la
Nouvelle-France 1713-1744

François-Xavier Garneau
Histoire du Canada
depuis sa découverte
jusqu'à nos jours

Jacques Garneau
La mornifle

Saint-Denys Garneau
Journal
Regards et jeux dans l'espace
suivi de Les solitudes

Louis Gauthier
Anna
Les aventures de Sivis
Pacem et de Para Bellum
Voyage en Irlande
avec un parapluie

Antoine Gérin-Lajoie
Jean Rivard, le défricheur
suivi de
Jean Rivard, économiste

Rodolphe Girard
Marie Calumet

André Giroux
Au-delà des visages

Jean Cléo Godin et Laurent Mailhot
Théâtre québécois *(2 tomes)*

Alain Grandbois
Avant le chaos

François Gravel
La note de passage

Yolande Grisé
La poésie québécoise avant Nelligan. Anthologie

Lionel Groulx
Notre grande aventure
Une anthologie

Germaine Guèvremont
Marie-Didace
Le Survenant

Pauline Harvey
Le deuxième monopoly des précieux
Encore une partie pour Berri
La ville aux gueux

Anne Hébert
Le temps sauvage *suivi de* La mercière assassinée *et de* Les invités au procès
Le torrent

Anne Hébert et Frank Scott
Dialogue sur la traduction À propos du « Tombeau des rois »

Louis Hémon
Maria Chapdelaine

Suzanne Jacob
La survie

Claude Jasmin
La sablière - Mario
Une duchesse à Ogunquit

Patrice Lacombe
La terre paternelle

Rina Lasnier
Mémoire sans jours

Félix Leclerc
Adagio
Allegro
Andante
Le calepin d'un flâneur
Cent chansons
Dialogues d'hommes et de bêtes
Le fou de l'île
Le hamac dans les voiles
Moi, mes souliers
Le p'tit bonheur
Pieds nus dans l'aube
Sonnez les matines

Michel Lord
Anthologie de la science-fiction québécoise contemporaine

Hugh MacLennan
Deux solitudes

Antonine Maillet
Les Cordes-de-Bois
Mariaagélas
Pélagie-la-Charrette
La Sagouine

André Major
L'hiver au cœur

Gilles Marcotte
Une littérature qui se fait

Claire Martin
Dans un gant de fer. La joue gauche
Dans un gant de fer. La joue droite
Doux-amer

Guylaine Massoutre
Itinéraires d'Hubert Aquin

Marshall McLuhan
Pour comprendre les médias

Émile Nelligan
Poésies complètes
Nouvelle édition refondue et révisée

Francine Noël
Maryse
Myriam première

Fernand Ouellette
Les actes retrouvés. Regards d'un poète

Madeleine Ouellette- Michalska
La maison Trestler ou le 8e jour d'Amérique

Stanley Péan
La plage des songes et autres récits d'exil

Daniel Poliquin
La Côte de Sable
L'Obomsawin

Jacques Poulin
Le cœur de la baleine bleue
Faites de beaux rêves

Jean Provencher
Chronologie du Québec 1534-1995

Marie Provost
Des plantes qui guérissent

Jean-Jules Richard
Neuf jours de haine

Mordecai Richler
L'apprentissage de Duddy Kravitz

Jean Royer
Introduction à la poésie québécoise

Gabriel Sagard
Le grand voyage du pays des Hurons

Fernande Saint-Martin
Les fondements topologiques de la peinture
Structures de l'espace pictural

Félix-Antoine Savard
Menaud, maître-draveur

Jacques T.
De l'alcoolisme à la paix et à la sérénité

Jules-Paul Tardivel
Pour la patrie

Yves Thériault
Antoine et sa montagne
L'appelante
Ashini
Contes pour un homme seul
L'île introuvable
Kesten
Moi, Pierre Huneau
Le vendeur d'étoiles

Lise Tremblay
L'hiver de pluie

Michel Tremblay
C't'à ton tour, Laura Cadieux
La cité dans l'œuf
Contes pour buveurs attardés
La duchesse et le roturier

Pierre Turgeon
Faire sa mort comme faire l'amour
La première personne
Un, deux, trois

Pierre Vadeboncoeur
La ligne du risque

Gilles Vigneault
Entre musique et poésie. 40 ans de chansons

Paul Wyczynski
Émile Nelligan. Biographie